# Le pique-nique
# de la famille Souris

Grand-père, Grand-mère,
Papa, Maman et nous, les dix enfants,
nous formons une famille de quatorze souris.
Moi, Benjamin,
je suis le plus petit.

Adapté du japonais par Irène Schwartz

ISBN 978-2-211-03642-9
© 1988, l'école des loisirs, Paris, pour l'édition en langue française
© 1986, Kazuo Iwamura
Titre original : «14ひきのぴくにっく» (Doshin-sha, Tokyo)
Agence littéraire : Japan Foreign-Rights Centre
Loi numéro 49 956 du 16 juillet 1949 sur les publications
destinées à la jeunesse : mars 1989
Dépôt légal : avril 2017
Imprimé en France par Aubin Imprimeur à Ligugé

Kazuo Iwamura

# Le pique-nique
# de la famille Souris

les lutins de l'école des loisirs
11, rue de Sèvres, Paris 6ᵉ

Le soleil illumine la maison et le jardin de la famille Souris. « Aujourd'hui,

c'est le printemps !» dit Papa, « si on préparait un pique-nique ?»

«Chic! on va manger des boulettes de riz!» «Oui, Benjamin, mais

donne-moi ta main, regarde, tu as mis ta blouse devant derrière !»

« Bonne promenade ! » disent les mésanges. « On voudrait bien vou

ccompagner, mais c'est l'heure du déjeuner de nos petits!»

Les souris trottent à la queue leu leu sur un chemin bordé de plante

mystérieuses. Grand frère, le dernier de la file, joue du pipeau.

« Petite sœur, on cueillera ces fleurs violettes au retour…»

« Chut ! Personne ne nous a vus ! » murmurent les deux garçons.

Les souris sont sorties du bois. «La mer!» crie Petite sœur.

Benjamin pense qu'elle a raison mais Maman dit que c'est le ciel !

Un, deux, trois… les enfants sont tous d'accord pour

faire la course, même Grand frère, pour une fois !

« Voyons, n'ayez pas peur ! » dit le monstre caché derrière les herbes,

«je n'ai pas de dents, je ne vous mangerai pas…»

« Et là-bas, au milieu de la mare, Grand-père, qu'est-ce que c'est?

Un serpent!» «Non!» dit Papa, «je crois que ce sont des œufs de crapaud!»

La famille, rassurée, a repris la route en chantant. Mais on dirait que,

devant, les garçons prennent leur élan… Où vont-ils ?

.. Faire comme les grenouilles ! Hop ! Hop ! C'est très facile !

… Et plouf ! Sur le pont, ils font une drôle de tête ! « Dépêche-to

de sortir!» disent les frères, «il y a des crocodiles!»

«Nous avons faim !» chantent les sportifs en arrivant dans les pissenlits.

«Nous voulons le pique-nique ! Et faire sécher mon pantalon !»

Le riz est délicieux. Tout le monde se régale, mais Benjamin a vu

...e coquin qui va manger le dessert avant le plat de résistance...

Les souris dansent, le baigneur a remis sa chemise et Benjamin s'envole

...omme les graines du pissenlit. «Belle journée !» dit la grenouille.